YN Y

Argraffiad Cymraeg cyntaf: Tachwedd 1999
Ail argraffiad: Chwefror 2002

ISBN 1-902416-19-8

Dychmygol yw holl ddigwyddiadau a chymeriadau'r nofel hon.

Dymuna'r cyhoeddwyr gydnabod cymorth adrannau
Cyngor Llyfrau Cymru.

Cysodwyd ac argraffwyd gan Wasg Gomer, Llandysul SA44 4BQ.

Cyhoeddwyd gan Gymdeithas Lyfrau Ceredigion Gyf.,
Ystafell B5, Y Coleg Diwinyddol Unedig, Stryd y Brenin,
Aberystwyth, Ceredigion SY23 2LT.

Cyfres Cefn y Rhwyd

ELGAN PHILIP DAVIES

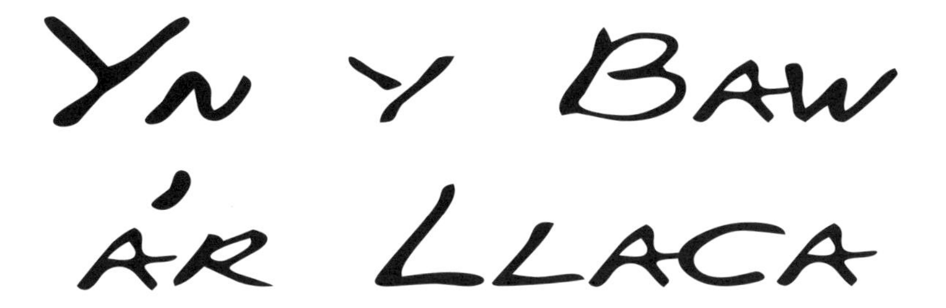

Lluniau gan John Shackell

CYMDEITHAS LYFRAU CEREDIGION Gyf.

Pennod 1

'Yn y baw a'r llaca, yma gwelwch fi,' canai tad Arwyn iddo'i hun. 'Bob bore Sadwrn, yma gwelwch fi.'

Doedd yr ail linell ddim yn rhan o'r gân; tad Arwyn oedd wedi ei hychwanegu ei hun. Hyfforddwr tîm pêl-droed oedd tad Arwyn, nid bardd, ond mae rhai pethau mae hyfforddwr tîm pêl-droed yn gwybod amdanyn nhw'n llawer gwell na bardd, ac mae sefyll ar ystlys cae pêl-droed am sawl bore Sadwrn ar ôl ei gilydd yn y baw a'r llaca yn un o'r pethau hynny.

Edrychodd tad Arwyn i lawr y llinell a gweld y rhes o rieni'n cysgodi o dan eu hambarelau amryliw. Ond llwyd a diflas oedd eu hwynebau fel yr awyr uwch eu pennau a'r mwd o dan eu traed. Trodd y glaw mân yn gawod drom, a chwythodd y gwynt y glaw yn syth ar draws y cae.

'Dewch 'mlaen, BMG!' galwodd un o'r tadau. '*Gwnewch* rywbeth!'

Haws dweud na gwneud, meddyliodd tad Arwyn. Roedd y tîm *yn* trio'u gorau i wneud rhywbeth, ond roedden nhw'n ei chael hi'n anodd torri drwy amddiffyn Llani.

Roedd hi'n oer, roedd hi'n wlyb, roedd hi'n fis Tachwedd, a thymor pêl-droed Cynghrair Cylch Caerddewi'n bum wythnos oed. Eu tymor cyntaf yn y gynghrair oedd hwn i BMG Unedig, y tîm roedd Arwyn yn aelod ohono, ac yn ôl y canlyniadau roedd hi'n bosib iawn mai hwn fyddai'r tymor olaf hefyd. Roedd BMG Unedig wedi chwarae pum gêm ac wedi colli pob un, ac o ganlyniad roedden nhw'n gorwedd ar waelod yr ail adran.

Cynghrair Cylch Caerddewi
Ail Adran

	Ch	E	Cy	Co	G+	G-	P
1 Bechgyn Berian	5	5	0	0	25	12	15
2 Cenawon B	5	3	1	1	26	15	10
3 Ysgol y Dolau	5	3	1	1	19	16	10
4 Sêr y Sarnau	5	3	0	2	19	20	9
5 Ysgol Llansant	5	1	2	2	19	16	5
6 Corwynt B	5	1	1	3	13	17	4
7 Llani	5	1	1	3	18	25	4
8 BMG Unedig	5	0	0	5	9	27	0

Ac i wneud pethau'n waeth roedd tîm swyddogol yr ysgol lle'r oedd chwaraewyr BMG Unedig yn ddisgyblion, ar frig adran gyntaf y gynghrair gyda deuddeg pwynt allan o bum gêm.

Cynghrair Cylch Caerddewi
Adran Gyntaf

	Ch	E	Cy	Co	G+	G-	P
1 Ysgol Glanaber	5	4	0	1	26	21	12
2 Cenawon A	5	3	0	2	29	32	9
3 Corwynt A	5	3	0	2	30	22	9
4 Is-y-Bont	5	3	0	2	30	30	9
5 Gwenoliaid	5	2	1	2	18	25	7
6 Ysgol Rhyd-wen	5	2	0	3	32	27	6
7 Ysgol Pen-rhiw	5	1	1	3	16	20	4
8 Hebogiaid	5	1	0	4	23	33	3

Roedd gan rai ysgolion ddau dîm pêl-droed yn y gynghrair, ac fel arfer roedd hynny'n wir am Ysgol Glanaber, ond gan y byddai Arolygwyr Ei Mawrhydi yn dod i'r ysgol ar ôl y Nadolig, roedd Mr Mathews, y prifathro, wedi penderfynu nad oedd ganddo ddigon o amser i hyfforddi dau dîm y flwyddyn honno. Nid oedd y bechgyn a fyddai wedi bod yn yr ail dîm yn meddwl bod hynny'n deg o gwbl. Roedd Arwyn yn un o'r bechgyn hynny, a phan welodd ei dad ei wyneb hir ar ôl iddo glywed y newyddion drwg, fe benderfynodd wneud rhywbeth am y sefyllfa.

Cynigiodd hyfforddi ail dîm yr ysgol, ond gwrthod wnaeth Mr Mathews. Credai tad Arwyn fod Mr Mathews yn styfnig iawn yn gwrthod ei gynnig i helpu, ond roedd ef yr un mor styfnig â'r prifathro, ac fe aeth ati i ffurfio tîm newydd ei hun. A dyna sut y dechreuwyd BMG Unedig.

Safai BMG am 'Bechgyn a Merched Glanaber', ac un rheswm pam y dewisodd tad Arwyn yr enw hwnnw oedd am fod dwy ferch, Angharad a Stephanie, yn chwarae gyda'r bechgyn yn y tîm – penderfyniad nad oedd pob un o'r bechgyn yn cytuno ag ef. Rheswm arall dros ddewis BMG Unedig fel enw i'r tîm oedd am mai Borussia München Gladbach – BMG arall – oedd hoff dîm pêl-droed Mr Mathews. Allai'r prifathro ddim peidio â chefnogi'r tîm nawr, na allai?

'Pasia'r bêl, Robbie!' gwaeddodd tad Arwyn ar ei brif ymosodwr. Roedd Robbie'n chwaraewr dawnus a chanddo lawer o sgiliau da, ond roedd yn gallu bod yn hunanol. Yn aml iawn fe fyddai'n creu cyfle da i'r tîm, ond yn lle pasio'r bêl i chwaraewr arall oedd mewn gwell safle nag ef, fe fyddai'n mynnu mynd am y gôl ei hun, a methu.

Ac unwaith eto, roedd Robbie am fod yn arwr. Yn lle pasio'r bêl i Angharad a oedd yn rhydd yn y cwrt cosbi, roedd Robbie am ei cherddded hi i mewn i'r gôl. Ond roedd y cae fel cors, gyda mwy o ddŵr a mwd nag o wair arno. Roedd Robbie wedi sglefrio arno fel Bambi ar rew sawl gwaith yn barod, ond nid oedd wedi dysgu dim.

Ceisiodd Robbie redeg o gwmpas y golwr, ond ar yr eiliad olaf aeth y bêl yn sownd yn y mwd. Baglodd Robbie drosti a syrthio ar ei wyneb. Rhuthrodd y golwr am y bêl a disgyn arni i wneud yn siŵr na fyddai Robbie nac Angharad yn ei chael.

Cododd Robbie ar ei eistedd ac edrych ar golwr Llani yn rhoi llond pen i'w amddiffynwyr am beidio â'i daclo.

'Dwi'n iawn,' meddai Robbie pan welodd Angharad yn rhedeg tuag ato.

Ond pryd o dafod ac nid help llaw oedd gan Angharad iddo.

'Rwyt ti'n anobeithiol,' meddai Angharad wrth Robbie.

'Hy!' meddai Robbie, gan godi a cherdded i ffwrdd.

'Pam na phasiest ti'r bêl?' galwodd Angharad ar ei ôl.

'Gad fi fod,' meddai Robbie, gan sychu'r mwd o'i wyneb a'i daflu at Angharad.

'Paid ti taflu mwd ata i,' meddai Angharad, gan gydio mewn llond llaw o fwd a'i daflu at Robbie.

'Os wyt ti eisiau ffeit . . .' dechreuodd Robbie, ond stopiodd pan glywodd chwîb y dyfarnwr.

Trodd Robbie ac Angharad tuag at y dyfarnwr, ond nid arnyn nhw roedd e'n chwythu. Y tu ôl iddyn nhw roedd golwr ac un o amddiffynwyr Llani yn rholio yn y mwd, yn curo, cicio a chnoi ei gilydd.

Rhedodd y dyfarnwr hyd y cae at y ddau gan chwythu ei chwîb yn ddi-baid. Ond ni chymerodd y ddau ar y llawr unrhyw sylw ohono. Ac er bod y dyfarnwr yn rhedeg nerth ei draed i'w gwahanu, nid oedd hynny'n ddigon cyflym i gefnogwyr Llani. Roedd tri o'r tadau wedi penderfynu gwahanu'r ddau eu hunain.

Ond os oedd y chwaraewyr, yn eu hesgidiau pêl-droed, yn cael trafferth i gadw eu traed yn y baw a'r llaca, doedd dim gobaith gan eu rhieni. Cyrhaeddodd y tri thad y gôl yn ddianaf, ond pan geisiodd y cyntaf stopio dyna pryd y dechreuodd pethau fynd o chwith. Sgrialodd i mewn i'r bechgyn ar y llawr, taro yn eu herbyn a hedfan dros eu pennau i mewn i'r pwll o ddŵr.

Pan welodd y ddau dad arall hyn, fe drion nhw arafu ond roedden nhw'n mynd yn rhy gyflym. Disgynnodd y ddau ar ben y lleill a dyna lle bu'r pump ohonynt am rai munudau yn rholio o gwmpas yn belen fwdlyd o goesau a breichiau.

Siglodd tad Arwyn ei ben. 'Hon yw'r gêm brydferth?' gofynnodd iddo'i hun.

Daliai'r dyfarnwr i chwythu ei chwîb a daliai pawb i'w anwybyddu. Penderfynodd mai digon yw digon a chwythodd tair caniad hir olaf.

Chwe gôl i ddwy i Llani oedd y sgôr. Roedd BMG wedi colli gêm arall.

Pennod 2

Criw digon tawel ddaeth ynghyd i ymarfer ar Barc Cae Mawr y nos Fercher wedyn. Roedd tad Arwyn wedi cael ei synnu gan ysbryd y tîm yn ystod wythnosau cyntaf y tymor. Efallai fod BMG Unedig wedi colli pob gêm ond doedd aelodau'r tîm ddim wedi colli eu hysbryd. Ar ôl pob ergyd, roedd y plant wedi codi, anghofio'r siom ac wedi edrych ymlaen yn eiddgar at y gêm nesaf.

Ond nid y tro hwn. Y tro hwn roedd yr wynebau'n hir fel peli rygbi, a'r ysgwyddau'n grwm fel bwâu aur Macdonalds. Roedd tad Arwyn yn gwneud ei orau i godi calonnau'r tîm, ond roedd hynny'n profi'n fwy anodd na dal Ryan Giggs.

'Ar unwaith nawr, mewn cylch,' galwodd, gan guro'i ddwylo. 'Dwi am i chi ymarfer pasio'r bêl yn ôl ac ymlaen ar draws y cylch tra bydd yr un yn y canol yn trio'i dwyn hi.'

Yn araf ac yn anhapus, ffurfiodd y tîm gylch.

'Un ohonoch i mewn i'r canol,' meddai tad Arwyn.

Symudodd Robbie i ymyl Angharad a'i gwthio hi i mewn i ganol y cylch.

'Da iawn, Robbie, diolch am wirfoddoli,' meddai tad Arwyn.

'Ond Angharad sy yn y canol,' protestiodd Robbie.

'Ond mae hi'n ddigon parod i adael i ti gymryd ei lle, on'd wyt ti, Angharad?'

'Ydw,' atebodd Angharad, gan wenu'n llydan ar Robbie.

'Dere 'mlaen, Robbie, gloi nawr.'

'Ooo,' cwynodd Robbie. Llusgodd ei draed i mewn i'r cylch a thaflodd tad Arwyn y bêl i Hefin.

'Dyma ti, Hefin, ti'n gwybod beth i'w wneud. Rydyn ni wedi ymarfer hyn ddigon o'r blaen. Pasia'r bêl ar draws y cylch, ac rwyt ti, Robbie, i fod i drio'i dwyn hi. Iawn?' A chwythodd tad Arwyn ei chwîb.

Ceisio dyfalu i ble fyddai'r bêl yn cael ei phasio oedd pwrpas yr ymarfer hwn, ac yn y gorffennol roedd wedi bod yn dipyn o hwyl gyda phawb yn mwynhau ceisio dal y pasiwr allan drwy ddyfalu at bwy y byddai'r bêl yn cael ei chicio. Ond roedd pethau'n wahanol y tro hwn. Ciciodd Hefin y bêl i JJ a rhedodd Robbie ar ei hôl, ond cyn iddo gael cyfle i'w dwyn roedd JJ wedi ei chicio i Dai Dau. Rhedodd Robbie ar ei hôl unwaith eto ond unwaith eto roedd yn rhy araf. Am ryw reswm, dilyn y bêl roedd Robbie ac nid meddwl un cam o flaen y paswyr. Felly, am y pum munud nesaf rhedodd Robbie rownd a rownd y cylch fel rhywbeth rhwng hanner call a dwl ond heb gyffwrdd â'r bêl unwaith.

Dechreuodd Dewi chwerthin am ben Robbie wrth ei weld yn mynd yn fwy ac yn fwy crac bob tro y methodd â chael y bêl. Credai Dai Dau hefyd fod y sefyllfa'n ddoniol iawn ac fe gafodd yntau bwl o chwerthin. Ac o un i un dechreuodd aelodau eraill y tîm weld yr ochr ddoniol a chwerthin am ben Robbie. Ond roedd clywed y lleill yn chwerthin yn gwneud Robbie'n fwy penderfynol, yn fwy gwallgof ac yn beryglus iawn.

'AAAWWWW!' gwaeddodd Hefin pan neidiodd Robbie ar ei droed mewn ymgais i ennill y bêl.

'HWWFFFF!' ebychodd Stephanie pan wthiodd Robbie hi i'r llawr.

'HEI!' sgrechiodd Dai Un, wrth i Robbie ei dynnu allan o'r ffordd.

'Gan bwyll, Robbie!' galwodd tad Arwyn.

Ond nid oedd Robbie'n clywed dim, a Dai Dau oedd y nesaf i ddioddef tacl hwyr.

'WWWWWWWW!' cwynodd Dai Dau pan giciodd Robbie ef yn ei goes.

Chwythodd tad Arwyn ei chwîb ond doedd Robbie'n clywed dim.

'Robbie! Hei, Robbie!' galwodd tad Arwyn, gan gydio yn ei fraich wrth iddo redeg heibio iddo ar ôl Angharad.

'RRRRYYY!' rhuodd Robbie fel tarw gwyllt, a'i draed yn crafu'r ddaear yn barod am ruthr arall.

'Dwi'n credu ein bod ni wedi ymarfer digon o hynny am heno,' meddai tad Arwyn. 'Beth am wneud rhywbeth arall?'

'Beth?' gofynnodd Hefin yn ddifater.

'Wel, beth am . . . ?' dechreuodd tad Arwyn, ond roedd yn ofni mentro ymarfer unrhyw beth arall a hwyliau pawb mor ddrwg.

'Beth am . . . em . . .' Edrychodd o gwmpas ar aelodau BMG Unedig i gyd yn syllu'n ddisgwylgar arno. Roedden nhw wedi cael pum wythnos ddigon siomedig a nawr roedd angen rhywbeth i godi eu calonnau. Weithiau pan fyddai tîm proffesiynol yn cael cyfnodau gwael byddai'r rheolwr yn mynd â'r tîm cyfan i wlad dramor am wyliau. Byddai diwrnod neu ddau yn yr haul yn gwneud byd o wahaniaeth i hwyliau'r chwaraewyr. Ond ni allai tad Arwyn fforddio gwneud hynny; prin y gallai fforddio trip ysgol a hufen iâ i'r tîm heb sôn am . . . Hei! Roedd hynny'n syniad.

'Beth am fynd i Macbyrgyr?'

'Macbyrgyr?' meddai Hefin yn syn. Doedd e ddim wedi disgwyl hynny.

'Macbyrgyr?' meddai JJ a'i lygaid yn goleuo. Nid oedd mam JJ yn hoffi llefydd bwydydd cyflym, a byddai'n gwrthod iddo fynd i barti pen blwydd un o'i ffrindiau os mai yn Macbyrgyr y byddai'n cael ei gynnal.

'Ie, pam lai?' meddai tad Arwyn. 'Dim ond i fyny'r stryd mae e. Dwi'n credu'ch bod chi wedi gwneud eich gorau drwy'r tymor, a'i bod hi'n amser nawr i chi ymlacio a chael ychydig o hwyl. Pawb yn cytuno y dylen ni fynd i Macbyrgyr?'

'Ie!'

'Ie!'

'Ie!' gwaeddodd pob aelod o'r tîm.

Wel, *bron* pob aelod.

'Rrrryyyy!' meddai Robbie yn dal i ruo fel tarw.

Penderfynodd tad Arwyn gadw Robbie allan o ffordd staff Macbyrgyr, rhag ofn eu bod nhw wedi rhedeg allan o gig eidion.

Tair munud yn ddiweddarach roedd aelodau tîm pêl-droed BMG Unedig, a'u rheolwr, yn cerdded i mewn drwy ddrysau bwyty Macbyrgyr. Rhuthrodd y plant at y cownter a phwyso arno neu geisio ei ddringo. Estynnodd Robbie am ddyrnaid o wellt yfed a'u taflu at Dewi.

'Gan bwyll,' meddai tad Arwyn.

Cydiodd Dai Un mewn pecyn finegr, ei rwygo â'i ddannedd a'i chwistrellu dros Dewi.

'Hei! Hei! Bihafiwch!' gwaeddodd tad Arwyn.

Gwthiodd Dewi Dai Un ac fe faglodd yn erbyn Stephanie a ddisgynnodd yn erbyn Hefin a gwympodd i'r llawr gan dynnu pentwr o fwydlenni ar ei ben.

'SWÎÎÎÎÎÎB!' Chwythodd tad Arwyn ei chwîb i dawelu'r tîm. 'Pawb i fynd i eistedd lawr ar unwaith, neu byddwch chi 'nôl ar Barc Cae Mawr yn ymarfer.'

Tawelodd pawb a cherdded yn ufudd at y byrddau.

'Iawn, pwy sy eisiau beth?' gofynnodd tad Arwyn.

'Byrgyr.'

'Byrgyr ond dim saws.'

'Un . . .'

'Rhywbeth llysieuol.'

'Byrgyr a sglodion.'

' . . . ar . . .'

'Byrgyr a chaws.'

'Cyw iâr.'

' . . . y . . .'

'Diod siocled.'

'Coke.'

' . . . tro!'

'A pheidiwch anghofio amdana i,' meddai Dewi, mewn llais tawel main.

'Wyt ti eisiau'r sglodion 'na, Steph?' gofynnodd Hefin, gan lygadu'r hanner dwsin o sglodion oedd ar ôl ar blât Stephanie.

MACBYRGYR
7
5
JS

Gwthiodd Stephanie ei fforc i mewn i'r chwech a'u codi i'w cheg. 'Ydw.'

'Hy!' meddai Hefin, gan sugno diferion ola'r Coke yn swnllyd.

'Hei!' meddai Arwyn. 'Edrychwch pwy sy'n dod.'

Trodd pawb i gyfeiriad y drws a gweld pedwar aelod o dîm Cenawon A yn cerdded i mewn i'r caffi. Er mai i un o ysgolion eraill y dref yr âi'r bechgyn hyn, roedd yn ddigon hawdd eu hadnabod gan fod y pedwar yn gwisgo crysau glas tywyll ac aur tîm pêl-droed Cenawon A. Rhaid eu bod nhw'n falch iawn o'u cit os oedden nhw'n ei wisgo drwy'r amser.

Tawelodd aelodau tîm BMG Unedig ar unwaith; pob un yn canolbwyntio ar ei fwyd – ac yn sbecian yn slei ar yr un pryd ar y pedwar bachgen wrth y cownter.

'Dwi'n hoffi eu crysau,' sibrydodd Angharad.

'A finne,' meddai Stephanie.

'Maen nhw'n O.K.,' meddai Dai Dau, yn amlwg yn meddwl eu bod yn well na hynny.

'Wyt ti wedi gweld crys y gôli?' gofynnodd Dewi. 'Mae e'n gylchoedd a llinellau o bob lliw dan haul.'

'Ac mae ganddyn nhw noddwr,' meddai JJ.

'Garej Graham!' meddai Robbie'n ddifrïol.

'Ond *mae* ganddyn nhw noddwr,' meddai Angharad.

'Chwaraeon LS yw noddwyr Bechgyn Berian,' meddai Hefin.

'A sinema'r Oriel yw noddwyr Sêr y Sarnau,' meddai Dai Un. 'Mae'r tîm yn cael mynd i mewn i'r sinema am hanner pris.'

Roedd yr holl sylw roedd ei dîm yn ei roi i grysau a noddwyr y timau eraill yn synnu tad Arwyn. Nid oedd ef wedi sylwi arnyn nhw ac nid oedd wedi ystyried am eiliad bod y tîm wedi sylwi arnyn nhw chwaith. Ond roedd hi'n ddigon amlwg iddo nawr eu bod yn cymryd cryn ddiddordeb mewn pethau felly.

Disgynnodd distawrwydd dros y tîm wrth i fechgyn Cenawon A dalu am eu bwyd a cherdded allan o Macbyrgyr, heb edrych unwaith ar aelodau BMG Unedig.

Pennod 3

'Ydych chi'n dal i chwarae i'r hen dîm pêl-droed twp 'na?' gofynnodd Llinos Morgan i Angharad a Stephanie amser chwarae yn yr ysgol drannoeth.

'Ydyn,' atebodd Rhian, a fyddai'n mynd gydag Angharad a Stephanie i bron bob ymarfer ac i bob gêm, er nad oedd yn chwarae pêl-droed ei hun.

'Pam?' gofynnodd Jackie Stephens.

'Pam lai?' gofynnodd Rhian.

Nid oedd Jackie'n gwybod yr ateb i 'pam lai', felly rhythodd yn fud ar Rhian.

Er bod y merched i gyd yn yr un dosbarth yn Ysgol Glanaber, doedden nhw ddim yn llawer o ffrindiau. Diddordebau Llinos, Jackie a nifer o ferched eraill y dosbarth oedd grwpiau pop, cylchgronau, operâu sebon, dillad a cholur, ac fe fyddent yn treulio'u hamser bron i gyd yn eu trin a'u trafod. Roedd Angharad, Stephanie a Rhian hefyd yn hoffi cylchgronau (*Shoot!* a *Match*), rhaglenni teledu (*Gôl!* a *Sgorio)* a dillad (mae crysau pêl-droed *wastad* yn ffasiynol, ac mae 'na rai newydd sbon ar werth bob rhyw chwe mis). Roedd y tair ffrind hefyd yn hoffi ambell i grŵp pop, ond roedden nhw'n credu bod yna fwy na hynny i fywyd, ac mai pêl-droed oedd un o'r pethau hynny.

'Mae Robbie'n chwarae i'r tîm, on'd yw e?' gofynnodd Llinos. O, ie, yn ddiweddar roedd

Llinos, Jackie a nifer o ferched eraill y dosbarth wedi dechrau cymryd diddordeb mewn bechgyn hefyd. Ac am ryw reswm na allai Angharad a'i ffrindiau ei ddeall, un o'u hoff, hoff, on'd-yw-e'n-ciwt, fechgyn ar y foment oedd Robert 'Robbie' Morris.

'Ydi,' meddai Rhian.

'Os alli di ei alw fe'n "chwarae i'r tîm",' meddai Angharad, gan gofio pa mor hunanol y gallai Robbie fod.

'Mae e'n lyfli,' meddai Jackie.

'Ac yn chwaraewr da,' meddai Llinos.

'Hy!' meddai Angharad.

'Mae Robbie'n dweud mai fe yw chwaraewr gorau'r tîm,' meddai Llinos, gan amddiffyn ei harwr.

'Mae'n siŵr fod *Robbie*'n dweud hynny,' meddai Angharad.

'Rwyt ti'n genfigennus,' meddai Llinos.

'*Hy*?' ebychodd Angharad yn methu credu ei chlustiau.

'Am ei fod e'n well chwaraewr na ti,' meddai Llinos.

'*HY*!'

'Ac am ei fod e'n lyfli,' meddai Jackie.

Roedd hyn yn fwy nag y gallai Angharad ei ddioddef – na'i stumogi – ac fe drodd i edrych yn sgwâr ar y ddwy ferch arall.

'Mae Robbie Morris yn . . .'

'Lyfli,' meddai Jackie.

'Dacw fe,' meddai Llinos.

Trodd y merched i gyd i weld Robbie'n rhedeg ar draws y maes chwarae.

'ROBBIE! IW-HŴ!' galwodd Jackie.

'*Paid*!' sgrechiodd Llinos, gan droi i ffwrdd ac esgus ei bod hi'n grac. 'Fe glywith e ti.'

'Wel?' meddai Jackie.

Chwarddodd Llinos ac edrych i gyfeiriad Robbie unwaith eto.

'O, na! Mae e *wedi* dy glywed ti.'

Edrychodd y merched i gyd ar Robbie. *Roedd* Robbie wedi clywed gwaedd Jackie ac roedd hynny wedi bod yn ddigon i wneud iddo aros. Safai ar ganol y maes chwarae, ei ddwylo ar ei ochr, ei dafod yn ei foch dde a gwên ddireidus ar ei wefusau.

'O, boi,' meddai Angharad. 'Dwi'n teimlo'n sâl.'

'Mae hyn yn afiach,' meddai Rhian.

Ni ddywedodd Stephanie air, ond fel arfer roedd ei distawrwydd yn dweud cyfrolau.

'Haia, ferched,' meddai Robbie, gan gerdded yn araf tuag atynt, yn ceisio'i orau glas i fod yn cŵl.

'Helo, Robbie,' meddai Llinos. 'Welaist ti uchafbwyntiau gêm Man U ar y teledu neithiwr?'

'Gwelais i'r gêm i gyd,' meddai Robbie. 'Mae gyda ni Sky.'

'Oes e?' meddai Jackie'n llawn rhyfeddod, yn union fel pe bai Robbie wedi dweud fod ganddyn nhw rinoseros yn y parlwr.

'Wyt ti'n edrych ar bob gêm sy arno?' gofynnodd Llinos.

'Bron pob un.'

'Dyna pam rwyt ti mor dda, yntê, Robbie?'

'Wel . . .' meddai Robbie, yn rhy wylaidd i frolio.

'A digon o ymarfer,' meddai Llinos.

'Does dim rhaid i fi ymarfer llawer,' meddai Robbie, gan ddifetha'i ddelwedd wylaidd. 'Mae gen i sgiliau naturiol.'

Roedd Angharad, Stephanie a Rhian wedi gwrando'n dawel ar y malu awyr hwn, ond gormod o bwdin dagith gi, ac roedd y tair ohonyn nhw bron â thagu.

'Chi'n dod?' gofynnodd Angharad i'w ffrindiau.

'Ar unwaith,' meddai Rhian.

Ni allai Angharad gredu'r hyn roedd hi newydd ei glywed. Merched ei dosbarth hi, merched ei *hoedran* hi, yn siarad â Robbie Morris fel petai e'n rhywun enwog; fel petai e'n actor, yn ganwr pop neu'n bêl-droediwr go iawn i un o dimau'r Uwch Gynghrair. Roedd y peth yn hollol anghredadwy. Yn hollol boncyrs! Ni allai Angharad feddwl am air arall amdano.

Diolch byth nad oedd unrhyw un o'r bechgyn yn ymddwyn fel hynny tuag ati hi. Petai un ohonyn nhw'n ei seboni hi fel hynny, wel, ni allai Angharad ddychmygu beth fyddai ei hymateb. Petai bachgen yn rhedeg ar ei hôl yn galw . . .

'Angharad!'

Rhewodd Angharad. Beth? Pwy?

'Angharad!'

Roedd popeth yn iawn. Roedd hi'n adnabod y llais.

'Beth wyt ti moyn, Robbie? Ydi dy ffan-clyb di wedi gofyn am dy lofnod a tithe heb ddysgu ysgrifennu eto?'

'Ha! Ha!' meddai Robbie. 'Wyt ti eisiau fy llofnod i?'

Anwybyddodd Angharad a Stephanie ef, ond ni allai Rhian wneud hynny.

'Cer o'ma, Robbie.'

Anwybyddodd Robbie hi a chamu o flaen Angharad.

'Wel, wyt ti?'

'Paid bod yn dwp. Pa berson call fyddai eisiau dy lofnod di?' gofynnodd Rhian, gan wthio'i phig i mewn rhwng Robbie ac Angharad.

'Roedd Llinos a Jackie eisiau fy llofnod i,' meddai Robbie'n falch.

'Ie, wel, dydyn nhw ddim yn gall, ydyn nhw?' meddai Rhian, gan brofi ei phwynt.

'Robbie, pam fydden ni eisiau dy lofnod di? Rydyn ni yn yr un tîm â ti,' meddai Angharad.

Chwarddodd Robbie. Roedd y sylw roedd e wedi ei gael gan Llinos a Jackie yn amlwg wedi mynd i'w ben. 'Am mai fi yw prif sgoriwr y tîm.'

'O un gôl,' meddai Rhian. 'Rwyt ti wedi sgorio pum gôl ac mae Angharad wedi sgorio pedair.'

'Sy'n golygu fy mod i wedi sgorio mwy na hi.'

'Pe na bait ti mor hunanol fe fyddai'r ddau ohonon ni wedi sgorio mwy o goliau,' meddai Angharad.

'Hy! Oni bai amdana i fyddet ti ddim wedi sgorio *un* gôl.'

'Dyw hwnna ddim yn deg,' meddai Rhian. 'Mae Angharad yn gallu sgorio heb dy help di.'

'Wel bydd rhaid iddi!' gwaeddodd Robbie'n wyllt. 'Achos dwi ddim yn mynd i'w helpu hi *byth* eto.'

Pennod 4

Ar ran arall o'r maes chwarae roedd gweddill aelodau BMG Unedig yn cicio pêl yn ôl ac ymlaen at ei gilydd, ond doedden nhw ddim yn cael tamaid mwy o lonydd na merched y tîm.

'Wel,' meddai Mr Mathews, prifathro Ysgol Glanaber, yn hwyliog, 'sut mae'r byd pêl-droed?'

'Yn iawn, syr,' atebodd Arwyn.

'A sut mae . . . mae . . . ?' Ceisiodd Mr Mathews ei orau i ddweud BMG Unedig, ond allai e ddim.

'BMG Unedig?' gofynnodd Arwyn.

'Em . . . ie,' meddai Mr Mathews. 'Sut mae'r *tîm* yn dod yn ei flaen?'

Er mai am 'Bechgyn a Merched Glanaber' y safai BMG, roedd Mr Mathews yn meddwl mai am Borussia München Gladbach, ei hoff dîm pêl-droed, y safai'r llythrennau. Oherwydd hynny nid oedd yn gwybod sut i ymddwyn tuag at dîm Arwyn a'i ffrindiau. Nid oedd yn hoffi'r syniad fod disgyblion yr ysgol yn chwarae i dîm y tu allan i'r ysgol, ac fe fyddai wedi bod yn ddigon hapus i'w gweld yn colli pob gêm. Ond ar y llaw arall, nid oedd yn hoffi meddwl am ei 'Borussia annwyl', yr oedd wedi ei gefnogi er pan oedd yn fachgen, yn colli'r un gêm. Roedd gweld Borussia München Gladbach yn disgyn i ail adran y Bundesliga am y tro cyntaf ers dros

dri deg mlynedd wedi bod yn ergyd galed iddo – ac i blant ei ddosbarth hefyd a gafodd waith cartref mathemateg bob nos am wythnos gyfan pan ddisgynnodd y tîm.

'Yn iawn, syr,' meddai Arwyn.

'A sut aeth pethau ddydd Sadwrn?' gofynnodd Mr Mathews, a oedd yn gwybod y canlyniad yn iawn.

'Collon ni, syr,' atebodd JJ.

'Colli?'

'Ie, syr,' meddai Dewi, dan wenu. 'Gadewais i chwe gôl i mewn ac fe ges i dair punt gan Wncwl Alun.'

'Beth?' gofynnodd Mr Mathews yn syn. 'Mae dy ewythr yn dy dalu di i adael i'r tîm arall sgorio?'

'Nagyw, syr,' meddai Dewi, yn synnu clywed Mr Mathews yn awgrymu'r fath beth. 'Talu fi am bob gôl sy'n cael ei sgorio mae e.'

Rhwbiodd Mr Mathews ei dalcen. Roedd ei ben yn dechrau brifo ond nid oedd yn un i roi'r ffidil yn y to ar chwarae bach, felly fe aeth yn ei flaen.

'Pam mae dy ewythr yn gwneud hynny?'

A difaru ar unwaith.

'Am fod tad Robbie'n rhoi pum deg ceiniog iddo fe am bob gôl mae e'n ei sgorio.'

'Ond pam fyddai tad Robbie'n rhoi arian i dy ewythr am sgorio gôl?'

Chwarddodd Dewi ar dwpdra Mr Mathews. 'Nage, i Robbie mae ei dad yn rhoi'r arian, ddim i Wncwl Alun. Dyw Wncwl Alun ddim yn chwarae i BMG.'

'DWI'N GWYBOD . . . !' Anadlodd Mr Mathews yn ddwfn. Roedd ei ben yn brifo'n waeth nawr, ac roedd yn wir yn difaru dechrau'r sgwrs hon gyda Dewi. 'Dwi'n gwybod nad yw dy ewythr yn chwarae i . . . i . . . i'ch tîm, Dewi, ond dwi ddim yn deall pam rwyt ti'n cael arian am adael goliau i mewn.'

'Am mai yn y gôl dwi'n chwarae.'

'Ie . . . ?' meddai Mr Mathews nad oedd yn ystyried hynny'n ateb llawn.

'A dwi ddim yn cael cyfle i sgorio goliau . . .'

'Na . . .' Roedd hyn yn swnio'n gymhleth iawn.

'. . . fel Robbie.'

Ond o'r diwedd credai Mr Mathews ei fod yn gweld y llygedyn bach lleiaf o olau ym mhen draw'r twnnel.

'Ydi tad Robbie'n rhoi pum deg ceiniog iddo fe am bob gôl mae e'n ei sgorio?' gofynnodd.

'Ydi, syr.'

'Ond gan mai yn y gôl rwyt ti'n chwarae dwyt ti ddim yn cael cyfle i sgorio.'

'Nagw, syr.'

'Ac achos hynny mae dy ewythr yn rhoi pum deg ceiniog i ti am bob gôl rwyt ti'n ei gadael . . .' Cododd Mr Mathews ei law i atal protestiadau Dewi. 'Iawn, am bob gôl sy'n cael ei sgorio yn dy erbyn.'

'Ydi, syr,' meddai Dewi dan wenu.

'Alla i ddeall bod dy ewythr am roi rhywbeth i ti am chwarae'n dda, ond pam na fyddai'n rhoi pum deg ceiniog i ti am bob gôl rwyt ti'n ei harbed?'

Chwarddodd Dewi eto. 'Mae'n amhosibl iddo wneud hynny, syr.'

'Pam?' gofynnodd Mr Mathews. 'Am nad oes yna gyfrif swyddogol o arbediadau'n cael ei wneud?'

'Nage, syr,' meddai Dewi. 'Am nad ydw i byth yn arbed gôl.'

Siglodd Mr Mathews ei ben ac edrych ar y

bechgyn eraill a oedd yn chwerthin am ben Dewi.

'Dwi ddim wedi clywed y fath ddwli yn fy mywyd!' meddai Mr Mathews, a oedd yn meddwl bod y bechgyn yn chwerthin am ei ben ef. 'Sut ydych chi'n disgwyl ennill gêmau a'r gôl-geidwad yn cael pum deg ceiniog am bob gôl sy'n cael ei sgorio yn eich erbyn? Ydi dy dad yn gwybod am hyn, Arwyn?'

'Ydi, syr.'

'A beth ddywedodd e?'

'Gofyn i Dewi a fyddai'n fodlon rhannu'r arian gydag e.'

'Tach!' meddai Mr Mathews, gan gerddded i ffwrdd.

Doedd Mr Mathews yn synnu dim at agwedd tad Arwyn. Doedd y dyn ddim yn addas i fod yn rheolwr tîm pêl-droed. Roedd angen disgyblaeth, ymroddiad a seicoleg i fod yn rheolwr pêl-droed, ac roedd ef ei hun yn deall y tri pheth hynny. Dyna pam mai Ysgol Glanaber oedd ar frig y gynghrair a . . . a . . . thîm tad Arwyn ar waelod yr ail adran.

Gadael i'r gôl-geidwad gael arian am bob gôl

sy'n cael ei sgorio yn ei erbyn, wir. Y fath syniad! Fyddai gôl-geidwaid Borussia München Gladbach byth yn gwneud hynny. Chwarddodd Mr Mathews wrth feddwl am y peth. Byddai'n well ganddyn nhw golli pob gêm na gwneud y fath beth . . . Wel, wrth gwrs, fe fydden nhw *yn* colli pob gêm petaen nhw'n gwneud y fath beth. Ond fydden nhw ddim, meddai Mr Mathews yn bendant wrtho'i hun, fydden nhw ddim!

Ond yna, wrth i Mr Mathews feddwl am yr amser trychinebus roedd Borussia München Gladbach wedi ei gael yn y Bundesliga, dechreuodd rhywbeth grafu yng nghefn ei feddwl. Roedd Borussia München Gladbach *wedi* gadael nifer fawr o goliau i'w rhwyd yn ddiweddar, yn enwedig yn ystod y tymor y disgynnodd y tîm o adran gyntaf y Bundesliga. Tybed os . . . ?

Na! Na! NA! Sut allai feddwl y fath beth am Borussia München Gladbach, ei Borussia annwyl! Ond er mor bendant yr ymddangosai Mr Mathews, roedd tad Arwyn wedi hau hedyn o amheuaeth yn ei feddwl.

Aeth i chwilio am blant a oedd yn gollwng sbwriel.

Disgynnodd y papur Halo ar y llawr. Roedd tad Arwyn wedi taflu'r papur siocled at y bin sbwriel, a methu. Gadawodd y papur ble'r oedd ar lawr y gegin ac estyn am gwpan arall. Roedd Arwyn yn ei ystafell yn gwneud ei waith cartref a dim ond ei rieni oedd yn y gegin; ei dad yn sychu'r llestri swper a'i fam yn smwddio'r golch.

'Ai siocled yw hwn?' gofynnodd mam Arwyn i'w dad, gan grafu rhywbeth o'r crys roedd yn ei smwddio.

'Ym n yta ocled,' meddai ei dad, a'i geg yn llawn siocled.

'Na, rwyt ti'n colli'r rhan fwyaf ohono fe ar dy grys.'

'Hy!'

'A dyw'r crys yma ddim llawer gwell.'

'Hei, hanner munud . . .' Dechreuodd tad Arwyn amddiffyn ei ddillad a'i arferion bwyta, ond yna fe sylweddolodd mai am grys pêl-droed Arwyn roedd ei wraig yn sôn.

'Beth sy'n bod arno fe?'

Daliodd mam Arwyn yr hen grys glas i fyny.

'Edrych arno fe. Mae bron â cholli ei liw i gyd; un golchad arall ac fe fydd yn dod allan yn wyn. Dim ond rhyw hanner dwsin o bwythau sy'n ei ddal at ei gilydd . . .'

'Iawn.'

' . . . mae'r llewysau'n fyr ac mae'r canol yn . . .'

'Iawn, iawn. Dwi'n deall. Mae e wedi gweld dyddiau gwell.'

'Ac roedd rheini ryw ddeng mlynedd yn ôl. Ddylet ti gael dillad newydd iddyn nhw.'

'O ble? Alla i ddim fforddio prynu cit newydd i'r tîm cyfan.'

'Sut mae'r timau eraill yn gallu eu fforddio nhw?'

'Timau ysgol yw'r mwyafrif ohonyn nhw gyda chymdeithasau rhieni ac athrawon yn talu am bopeth. Maen nhw'n cynnal boreau coffi, neu raffls, neu deithiau cerdded i godi arian.'

'Pam na wnei di hynny?'

'Fe fydden ni *wedi* gwneud hynny petai gen i'r amser. Ond fel rwyt ti'n gwybod, ar y funud ola ges i'r tîm 'ma at ei gilydd pan benderfynodd Mr Mathews nad oedd yr ysgol yn mynd i gael ail dîm eleni. Roeddwn i'n ffodus i gael yr hen grysau yna; o leia maen nhw i gyd yr un lliw. Fe allwn ni gael rhai gwell y tymor nesa.'

'Wyt ti'n meddwl bydd yna dymor nesa?'

'Pam lai? Allwn ni ond gwella.'

'Dwi ddim yn meddwl am y canlyniadau, ond am y chwaraewyr. Beth os cawn nhw gynnig i fynd i chwarae i un o'r timau eraill, timau sydd â dillad iawn?'

'Wnelen nhw ddim!'

'Na?'

'Na!' Ond er mor bendant yr ymddangosai tad Arwyn, roedd ei wraig wedi hau hedyn o amheuaeth yn ei feddwl.

Aeth i chwilio am y llyfr ffôn.

Pennod 5

'Dyw Geraint ddim yn dod,' meddai Hefin.

'Wel, syrpreis, syrpreis,' meddai Robbie, heb ddangos unrhyw syndod o gwbl. 'Dyw e byth yn dod.'

'Ond mae e eisiau chwarae i'r tîm,' meddai Hefin, yn amddiffyn ei ffrind.

'Wel pam nad yw e'n dod i'r ymarfer, 'te?' gofynnodd Robbie.

Ond nid oedd gan Hefin ateb i'r cwestiwn hwnnw. Roedd Geraint wedi dweud o'r dechrau ei fod am chwarae i'r tîm, ond er gwaethaf ei holl siarad, nid oedd wedi dod i un ymarfer. Ac nid oedd wedi mynd i wylio BMG yn chwarae unwaith, chwaith. Roedd wastad rheswm da gan Geraint pam na allai ddod i'r ymarfer a pham na allai fynd i wylio'r tîm yn chwarae. Byddai hefyd wastad yn addo'n bendant i fod yno'r tro nesaf, ond roedd ei ffrindiau'n dal i ddisgwyl.

'A ble mae dy dad?' gofynnodd Robbie i Arwyn.

'Mae e wedi gorfod mynd ar neges i rywle.'

'Amaturiaid!' meddai Robbie, gan siglo'i ben.

'Ond bydd e 'ma cyn i'r gêm ddechrau,' meddai Arwyn, yn amddiffyn ei dad.

'Wel, mae gyda ni dîm, beth bynnag,' meddai JJ pan welodd Angharad, Stephanie a Rhian yn cerdded tuag atynt.

'Os alli di eu galw *nhw'n* dîm,' meddai Robbie'n sarhaus.

Mae Robbie'n ymosodol iawn heddiw, meddyliodd Arwyn. Gobeithio y bydd e'r un mor ymosodol ar y cae.

'Sawl gôl wyt ti'n mynd i'w sgorio heddiw, Robbie?' gofynnodd Rhian, yn dynwared llais main Llinos.

'Cer o'ma, Rhian. Ti'n gwybod dim byd am bêl-droed,' meddai Robbie, gan gerdded i ffwrdd oddi wrth ei gyd-chwaraewyr.

Roedd hi'n ddydd Sadwrn eto ac yn amser i BMG Unedig chwarae gêm arall. Roedd chwe maes pêl-droed ar Barc Cae Mawr, a rhwng naw ac un o'r gloch bob bore Sadwrn byddai holl dimau Cynghrair Iau a Chynghrair Ieuenctid Cylch Caerddewi'n chwarae. Timau'r adran gyntaf fyddai'n chwarae ar y meysydd gorau ac roedd hynny'n golygu bod BMG Unedig yn chwarae eu gêm nhw ar faes chwech – y maes gwaethaf o'r cyfan – a oedd yn dal yn fwdlyd oddi ar law trwm y Sadwrn blaenorol.

Corwynt B fyddai gwrthwynebwyr BMG heddiw. Roedd Corwynt B yn chweched yn y gynghrair – dau safle'n uwch na BMG – felly fe ddylai hon fod yn gêm agos iawn. Pe bai Corwynt B yn ennill byddai ganddynt siawns o ddringo i'r pumed safle, a phe bai BMG yn ennill fe fyddent . . . wel . . . wedi ennill eu gêm gyntaf am y tymor. Felly roedd gan y ddau dîm bopeth i chwarae amdano.

Edrychodd Rhian ar ei horiawr. Dim ond deng munud oedd cyn y gic gyntaf a doedd dim golwg o dad Arwyn yn unman.

'Mae dy dad *yn* dod, on'd yw e?' gofynnodd i Arwyn, yn ofni bod yr hyfforddwr wedi cael digon ar ganlyniadau gwael y tîm.

'Ydi, wrth gwrs ei fod e,' atebodd Arwyn yn fyr.

'Wyt ti'n siŵr?' gofynnodd JJ.

'Wrth gwrs 'mod i'n siŵr. Pam ydych chi'n gofyn o hyd? Chi'n meddwl ei fod e wedi cael digon?'

'Digon o beth?' gofynnodd Dewi'n ddiniwed.

'Digon o hyfforddi tîm sy wedi colli pob gêm,' meddai Dai Dau.

'Digon o hyfforddi tîm sy wastad yn cweryla,' meddai Angharad.

'Digon o siarad,' meddai Dewi. 'Dyma fe'n dod nawr.'

Edrychodd y gweddill a gweld tad Arwyn yn cerdded ar draws y cae. Cerddai mor gyflym ag y gallai, ond roedd y bocs cardfwrdd mawr a gariai yn ei gwneud hi'n anodd iawn iddo ruthro.

'Mae'n ddrwg . . . 'da fi . . . fod mor . . . hir,' meddai'n fyr ei wynt. 'Ond os dewch chi . . . gyda fi . . . i'r pafiliwn ar unwaith, mae gen i . . . syrpreis i chi.'

'Iawn,' meddai tad Arwyn gan roi'r bocs cardfwrdd i lawr ar un o'r meinciau a gwenu'n braf. 'Dwi'n gwybod bod BMG Unedig wedi cael amser anodd, ond dwi'n siŵr bydd ein tymor yn newid heddiw ac y byddwch yn dîm newydd sy'n chwarae â brwdfrydedd newydd ac yn gwisgo crysau newydd.'

MACBYRGYR

Ac mewn un symudiad, yn union fel consuriwr, agorodd tad Arwyn y bocs cardfwrdd mawr a thynnu crys pêl-droed gwyrdd a choch allan ohono. Roedd y crys yn newydd sbon, yn dal yn ei gwdyn plastig. Rhwygodd tad Arwyn y cwdyn ar agor a thynnu'r crys allan.

'Ac mae'n rhaid i dîm newydd gael noddwyr newydd.'

Ysgydwodd y crys ar agor a'i ddal i fyny i'r plant ei weld.

'*Macbyrgyr*,' meddai JJ yn syn, yn union, mae'n siŵr, fel y dywedodd y Brenin Arthur '*Caledfwlch*' pan dynnodd y cleddyf o'r maen.

'Ie, Macbyrgyr yw noddwyr swyddogol BMG Unedig, a nhw sy'n rhoi'r crysau hyn i chi.'

Edrychodd ar ei oriawr. 'Gloi, neu fe fyddwn ni'n colli'r gêm cyn iddi ddechrau.'

Tynnodd ragor o grysau o'r bocs a'u taflu i'r tîm.

'Angharad a Stephanie, ewch i'r ystafell gefn i newid, i ni gael mynd allan i wynebu Corwynt B. Dwi'n credu mai ni fydd yn eu chwythu nhw oddi ar y cae heddiw.'

Chwythodd y dyfarnwr ei chwîb a chiciodd Angharad y bêl i Robbie. Rhedodd Robbie yn ei flaen yn syth i lawr canol y cae. Roedd golwg benderfynol ar ei wyneb, yn barod i herio'r amddiffyn a thorri drwyddynt heb ildio nes cyrraedd y gôl. Daeth yr amddiffynnwr tuag ato. Roedd yn llai o faint na Robbie ac edrychai'n eiddil iawn. Llyfodd Robbie ei wefusau a rhedeg yn ei flaen. Gwthiodd yr amddiffynnwr ei goes chwith allan, baglodd Robbie drosti a cholli'r bêl.

Rhedodd yr amddiffynnwr ymlaen gyda'r bêl ac anelodd Angharad amdano. Credai Angharad yn gryf mewn amddiffyn o'r blaen. Os gallai'r ymosodwyr gadw'r gwrthwynebwyr yn eu hanner nhw o'r cae, yna doedd ganddyn nhw ddim gobaith sgorio. Yn ôl Angharad, methu amddiffyn o'r blaen oedd un o wendidau mwyaf Robbie.

Gwelodd yr amddiffynnwr Angharad yn agosáu ato a gwenodd pan welodd mai merch oedd yn ei herio. Fel Robbie funud yn gynharach, llyfodd ei wefusau. Ond, fel Robbie, roedd yr amddiffynnwr ar fin gwneud camgymeriad.

Syllodd Angharad yn galed ar y bachgen. Byddai'n rhaid iddo ef ei churo hi. Gadael iddo ef wneud y gwaith oedd y gyfrinach ac yna ei ddal yn ddisymwth. Roedd Angharad wedi sylwi mai dim ond ei droed chwith a ddefnyddiai'r amddiffynnwr i reoli ac i gicio'r bêl. Byddai hynny o fantais iddi. Arhosodd Angharad amdano.

Roedd yr amddiffynnwr o fewn dau fetr iddi pan symudodd Angharad i mewn tua chanol y cae a gorfodi'r amddiffynnwr i symud y tu allan iddi a defnyddio'i droed dde. Ceisiodd y bachgen wthio'r bêl allan tua'r asgell ond baglodd drosti a'i gadael ar ei ôl. Gwelodd Angharad ei chyfle. Rhedodd am y bêl a'i chipio cyn i'r amddiffynnwr sylweddoli beth oedd wedi digwydd.

Dim ond y gôl-geidwad oedd ar ôl i'w guro nawr.

Rhedodd Angharad tuag ato. Roedd y gôl-geidwad rhwng dau feddwl beth i'w wneud: dod allan neu aros yn ôl. Ond fe wyddai Angharad yn iawn beth roedd hi am ei wneud: cicio'r bêl i waelod ochr dde y gôl.

'Pasia hi!'

Trodd Angharad a gweld Robbie'n rhedeg y tu mewn iddi.

'Pasia hi!' galwodd Robbie eto.

Roedd y gôl-geidwad rhwng tri, os nad pedwar meddwl yn awr ynglŷn â beth i'w wneud, a gwelodd Angharad ei chyfle.

'Dyma ti, Robbie!' gwaeddodd Angharad a ffugiodd basio'r bêl iddo. Rhedodd y gôl-geidwad at Robbie a sylweddoli'n rhy hwyr ei fod wedi cael ei dwyllo. Roedd ochr Angharad o'r gôl yn gwbl agored ac fe giciodd hi'r bêl yn dwt i gefn y rhwyd.

'IEEEEEEE!' sgrechiodd gweddill aelodau BMG a neidiodd Dewi i fyny ac i lawr yn y gôl arall fel pyped ar lastig. Dim ond dwy funud o'r gêm oedd wedi pasio ac roedd y tîm ar y blaen – am y tro cyntaf y tymor hwnnw. Am y tro cyntaf mewn unrhyw gêm, roedd BMG Unedig yn ennill.

Gwenodd Angharad wrth glywed y sgrechfeydd o'i chwmpas. Ond yr eiliad nesaf diflannodd y wên pan ofynnodd Robbie, 'Pam na phasiest ti'r bêl i fi?'

'Am mai gyda fi oedd y cyfle

gorau i sgorio,' meddai Angharad, yn synnu gweld yr olwg sur ar ei wyneb.

'Hy! Ffliwc!' meddai Robbie gan redeg heibio iddi.

Mae hyn yn ddwl, meddyliodd Angharad. Pam ar y ddaear na allwn ni gydchwarae?

⚽

Yn dilyn yr ailddechrau *fe* welwyd cydchwarae da. Yn anffodus, aelodau tîm Corwynt B oedd yn cydchwarae'n dda ac roedd aelodau BMG yn ei chael hi'n anodd gweld lliw y bêl hyd yn oed. Gwnaeth Angharad ei gorau i helpu'r amddiffyn ond arhosodd Robbie ar y llinell hanner, yn disgwyl i rywun ennill y bêl a'i phasio iddo ef er mwyn iddo gael sgorio.

Ond nid oedd yn edrych yn debyg y byddai BMG yn sgorio gôl arall. Roedd Corwynt B yn pwyso a phwyso a dim ond dau arbediad gwych gan Dewi a thair cic sobor o sâl gan flaenwyr Corwynt B oedd yn cadw'r sgôr yn un i ddim. Ond o dan y fath bwysau, dim ond mater o amser oedd hi cyn y byddai Corwynt B yn cael cyfle arall.

Ac fe ddaeth y cyfle hwnnw dair munud cyn hanner amser pan fethodd Dai Un â thaclo asgellwr Corwynt B. Petai Dai Un wedi llithro i'w daclo fe fyddai ganddo gyfle da i atal yr ymosodiad, ond arhosodd ar ei draed a rhedodd yr asgellwr heibio iddo. Croesodd y bêl i ganol y cwrt cosbi yn syth at draed yr ymosodwr. Nid oedd gan Dewi obaith o gadw'r bêl allan o'r rhwyd.

'IEEEEEE!' sgrechiodd chwaraewyr Corwynt B a rhedeg fel cnud o gŵn bach ar ôl y sgoriwr.

'O, na!' gwaeddodd Robbie, gan godi ei ddwylo i'r awyr a rhedeg at Dai Un.

'Pam na thaclest ti fe?' gofynnodd Robbie iddo.

'Cer o'ma, Robbie,' meddai Dai Un.

'Ddylet ti lithro mewn am y bêl,' meddai Robbie.

'Gad fi fod,' meddai Dai Un, gan droi i ffwrdd.

'Ac os nad wyt ti'n gallu ennill y bêl, bagla'r chwaraewr!' galwodd Robbie ar ei ôl.

'Ti'n siarad dwli weithiau, Robbie,' meddai Angharad ar ôl clywed ei gyngor i Dai Un.

'Ac rwyt ti'n siarad dwli drwy'r amser,' meddai Robbie, gan gerdded heibio iddi.

⚽

'Rydych chi wedi chwarae'n dda iawn hyd yn hyn,' meddai tad Arwyn, wrth i'r tîm gasglu o'i gwmpas hanner amser. 'Os codwch chi'ch gêm yn yr ail hanner bydd gyda chi siawns dda o ennill. Cofiwch, amddiffyn pan fydd raid, ac ymosod pan gewch chi gyfle. Iawn?'

'Mm.'

'Ie,' mwmialodd y tîm gan ddechrau cerdded allan i'r cae am yr ail hanner.

'Amddiffyn ac ymosod,' meddai Arwyn drosodd a throsodd yn ei ben, yn union fel petai'n dysgu ei dablau. 'Amddiffyn ac ymosod.'

Chwythodd y dyfarnwr i ddechrau'r ail hanner ac o'r gic gyntaf dangosodd Corwynt B pam mai Corwynt oedd eu henw. Ffrwydrodd y blaenwyr i lawr drwy ganol y cae gan chwythu amddiffynwyr BMG o'r ffordd.

Roedd Arwyn yn dal i ddweud 'amddiffyn ac ymosod' wrtho'i hun pan ruodd ei wrthwynebwr heibio iddo. Doedd dim gobaith gan Dai Un na Dai Dau ei ddal, a chyn i Dewi sylweddoli beth oedd yn digwydd, roedd yn codi'r bêl allan o gefn y rhwyd.

'Dewch 'mlaen, BMG!' galwodd Arwyn, gan guro'i ddwylo.

'Ti fethodd y dacl,' meddai Robbie wrth Arwyn.

'A ble'r oeddet ti?' gofynnodd Angharad iddo.

'Yn disgwyl am y bêl er mwyn sgorio,' meddai Robbie, gan droi i ffwrdd yn barod i ailddechrau'r gêm.

Ciciodd Angharad y bêl yn ôl i Arwyn a rhedeg allan i'r asgell chwith.

'Arwyn!' galwodd Robbie, ond ciciodd Arwyn y bêl at Angharad. Yn anffodus roedd ychydig yn rhy galed a chyrhaeddodd yr amddiffynnwr hi'n gyntaf. Gwgodd Robbie ar Arwyn ond edrychodd Arwyn i ffwrdd, yn benderfynol o beidio gadael i Robbie reoli'r cyfan.

Am y deng munud nesaf roedd y chwarae'n gyfartal, gyda'r ddau dîm yn ymosod ac yn amddiffyn yn eu tro. Roedd Robbie'n dal i alw am y bêl bob tro y byddai aelod o BMG yn cael gafael arni, ond er iddo'i chael hi sawl gwaith nid oedd wedi gwneud dim â hi.

'Arwyn!' galwodd Robbie, ac am unwaith roedd e'n rhydd ac mewn gwell safle nag Angharad.

Ciciodd Arwyn y bêl yn galed ar hyd y ddaear heibio i'r amddiffynnwr. Rhedodd

Robbie ar ei hôl i mewn i'r cwrt cosbi. Heb edrych ar y gôl, ciciodd y bêl â chwip o ergyd nes iddi saethu i gornel uchaf chwith y gôl. Roedd y ddau dîm yn gyfartal, dwy yr un.

'Da iawn, Robbie!' galwodd tad Arwyn. 'Pum munud i fynd; digon o amser i gael gôl arall.'

Ond nid oedd Robbie'n ei glywed. Roedd wedi tynnu blaen ei grys dros ei ben ac yn rhedeg igam-ogam yn ôl ar draws y cae. Pwyntiai un o fysedd ei law dde i fyny i'r awyr i ddangos ei fod wedi sgorio un gôl yn fwy nag Angharad.

'Dyna'r ymosod,' meddai Arwyn wrtho'i hun. 'Nawr am yr amddiffyn.'

Ac fe amddiffynnodd BMG. Roedd Corwynt B wedi gobeithio sgorio o'r ailddechrau ond roedd taclo Arwyn yn gadarn y tro hwn. Taclodd y blaenwr a dechrau gwrthymosod ar unwaith.

'Arwyn!' gwaeddodd Robbie.

Cododd Arwyn ei ben i edrych ar Robbie. Roedd e'n glir unwaith eto.

'Nawr!' sgrechiodd Robbie, gan ddisgwyl i

Arwyn basio'r bêl iddo. Roedd chwaraewyr Corwynt B hefyd yn disgwyl i Arwyn ei phasio, a rhedodd dau ohonyn nhw i'w atal gan adael Angharad yn rhydd ar yr asgell.

Gwelodd Arwyn hyn a chiciodd y bêl tuag ati. Trawodd y bêl yn erbyn un o chwaraewyr Corwynt B a oedd yn rhedeg 'nôl i amddiffyn. Cododd y bêl yn uchel i'r awyr a disgyn ar bwys Robbie. Ciciodd Robbie hi ymlaen at y gôl a rhedeg nerth ei draed ar ei hôl. Rhedodd y ddau amddiffynnwr ar ôl Robbie.

Roedd Robbie'n rhedwr cyflym ond roedd un o amddiffynwyr Corwynt B yn gyflymach. Ychydig o gamau eto ac fe fyddai wedi dal Robbie.

'Pasia!' gwaeddodd Angharad. 'Pasia hi nawr!'

Ond anwybyddodd Robbie Angharad. Roedd e'n benderfynol o sgorio ei hun. Yn ei feddwl gallai ei weld ei hun yn rhoi taran o ergyd i'r bêl nes ei bod yn saethu fel roced o'i esgid heibio i'r golwr i gefn y . . .

Yn sydyn, clywodd sŵn yr amddiffynwyr y tu ôl iddo ac oedodd Robbie am eiliad; roedd hynny'n ddigon.

'HWFFFF!' ebychodd Robbie, wrth iddo gael ei ddal rhwng y ddau, fel darn o gaws mewn brechdan.

Sgrialodd y bêl allan o'i gyrraedd – ac o gyrraedd chwaraewyr Corwynt B – yn syth i lwybr Angharad. Gwelodd Angharad ei chyfle a rhoi taran o ergyd i'r bêl nes ei bod yn saethu fel roced o'i hesgid heibio i'r golwr i gefn y rhwyd.

'GÔL!' gwaeddodd tad Arwyn, gan neidio i fyny ac i lawr fel plentyn o ddosbarth y babanod yn ei barti pen blwydd cyntaf. A'r eiliad nesaf, pan chwythodd y dyfarnwr y chwîb olaf, roedd tad Arwyn, y cefnogwyr ac aelodau tîm BMG Unedig ar ben eu digon. Roedden nhw wedi ennill eu gêm gyntaf. Roedd hyd yn oed Robbie'n gwenu, ac yn mwynhau'r profiad o ennill.

Roedd y tîm am oedi ar y cae i fwynhau'r fuddugoliaeth, ond roedd brys mawr ar dad Arwyn i'w cael i hel eu pethau at ei gilydd a gadael Parc Cae Mawr.

'Dewch 'mlaen! Dewch 'mlaen!' meddai, gan geisio'u mwstro, ac yna fe'u harweiniodd allan o'r parc ac ar hyd y ffordd fawr i gyfeiriad . . .

'*Macbyrgyr*,' meddai JJ yn syn, yn union, mae'n siŵr, fel y dywedodd y Brenin Arthur '*Afallon*' pan gyrhaeddodd y wlad chwedlonol honno.

'Ie,' meddai tad Arwyn. 'Yn ogystal â thalu am eich crysau newydd, mae Macbyrgyr wedi cytuno i roi pryd o fwyd am ddim i chi bob tro y byddwch yn ennill gêm.'

'*Bob* tro?' gofynnodd JJ.

'*Bob* tro.'

Allai'r plant ddim credu eu clustiau. Mewn un diwrnod bythgofiadwy roedden nhw wedi cael crysau newydd gan y noddwyr gorau posibl ac wedi ennill eu gêm gyntaf.

O'r diwedd, roedd BMG Unedig yn enillwyr.

'A dwi eisiau ennill o hyd,' meddai JJ, gan adleisio teimladau'r tîm cyfan.